La Pradera

&

la Máquina Superpoderosa

Un cuento de Paula Sicard, a beneficio de:

Fundación impronta

FUNDACION AMIGOS DE GENTE DE LA CALLE

cuento infantil (6+)
Valores: Libertad, alegría, convivencia, comunidad,
trabajo en equipo, compartir, diversidad, talentos únicos.

small-BIG
Talk

small-BIG Talk
26 Clondrina, Crusheen, Co. Clare, Ireland
smallbigtalk@gmail.com
https://small-bigtalk.com

Textos copyright © Paula Sicard 2021
Ilustraciones: Dibujos infantiles ganadores y menciones especiales
de la Competencia del Arcoíris 2021

La pradera y la máquina superpoderosa es una historia fantástica
para niños. Todos sus personajes y circunstancias son producto de la
fantasía. Cualquier parecido con hechos o personas de la vida real es
mera coincidencia.

ISBN : 978-1-9169039-1-3

Diseñado por Elisa Ferrán para su publicación en Amazon Kindle Books.

Para mi amada Venezuela

AGRADECIMIENTOS

 Los animalitos de la Pradera del Arcoíris y yo estamos muy felices y deseamos darles las gracias a todas las personas que han contribuido para que esta historia se haya llenado de colores y pueda ayudar a muchos niños. Les decimos gracias, gracias, gracias...

 A nuestros geniales y talentosos ilustradores: Rodrigo, Raúl, Mariana, Emily, Isabela, Caterina, Samanta, Franco, Luis, Samantha, Teo, Victoria, Salvador, Tomás, Raquel, Ana Francisca, Luisa, Maria Carla, Ian, Alberto Luis, Zoe y Axel Eduardo, y a todos los niños que participaron en la Competencia del Arcoíris con sus hermosos dibujos.

 A Xuyen Zambrano y Christy Gois, porque hicieron suyos la pradera, el arcoíris y todos los animalitos, haciéndose así, parte de cada página de este cuento.

 Al Colegio Integral El Ávila, especialmente a las profesoras Susana Dos Santos y Leoly Chacón, por su apoyo y cariño, por animar a sus niños a leer la historia y organizar todo para que pudieran participar en la Competencia del Arcoíris. Y a Bernardo Guinand Ayala, por ser el ángel que acercó nuestros caminos.

 A Alicia Montero, Olga González y Andrés Maurín Lombardi, por aceptar de manera amorosa y desinteresada, la difícil y laboriosa tarea de escoger a los ganadores de la Competencia del Arcoíris.

 A nuestros amigos Bernardo Guinán, Joselyn Martínez y Andrea Rojas, de las fundaciones Impronta, Amigos Gente de la Calle y Margarita Sonríe, por aceptarnos con tanto amor. Esperamos sumarnos, con la ayuda de nuestros queridos lectores, a la hermosa labor que ellos realizan para los niños venezolanos en necesidad.

 A Elisa Ferrán, quien con su ojo artístico maravilloso ha unido ilustraciones y letras, haciendo de este cuento la más hermosa obra.

A Ivens, nuestro director, editor, animador, mi esposo y compañero de aventuras. Siempre presente. Gracias mi amor.

A Venezuela y al amor que todos le tenemos, porque es lo que nos ha unido en primer lugar, y se ha materializado en esta linda historia.

¡Y a ti! Por leer esta historia y porque al hacerlo ayudas a muchos niños.

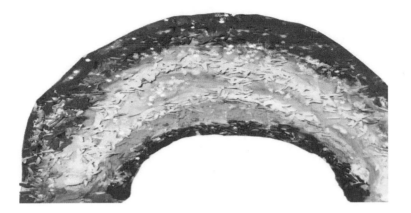

Escondida en algún lugar de un país tropical, hay una hermosa –¡y también mágica!– pradera, donde viven muchos, muchos animales. Esta pradera se mantiene verde todo el año –claro, porque está en un país tropical– y los animales viven muy felices, cada uno haciendo lo que mejor sabe y más le gusta hacer. Lo más interesante de este lugar es que en el cielo, además de las blancas nubes y el amarillo y radiante sol de todos los días, hay siempre, siempre, algo más. Algo que tiene muchos colores; siete, para ser exactos. ¿Ya sabes qué es?

¡Sí, un arcoíris!

Un arcoíris que, como decía, sale todos, todos los días. Muy juguetón, por cierto, porque siempre, siempre, cambia de lugar cuando alguien trata de acercarse. El juego favorito de los animalitos de la pradera es correr lo más rápido posible para llegar a él. El conejito Rodolfo y Evita la avestruz, los más veloces del lugar, han estado cerca de alcanzar al travieso arcoíris. Todos creen que muy pronto alguno de los dos lo logrará.

–Si gano, quisiera que me obsequiaran un trofeo –dice un día el conejito Rodolfo.

–Si yo gano, pondré el trofeo en la repisa más alta de mi cuarto, donde solo yo lo pueda alcanzar –contesta Evita la avestruz.

–¡Pero no tenemos trofeos! –exclama Lucho el perrito– ¡Yo me encargaré de buscar un trofeo para el ganador!

–¡Yo te ayudaré Lucho! –se ofrece Julito el topo– Tú con tu súper olfato y yo, experto en excavación, podríamos encontrar un tesoro escondido y usarlo como trofeo. ¿Qué les parece?

–¡Buena ideaaaaaa! –gritan todos al tiempo– ¡Hurraaaaaaaa! ¡Tendremos trofeo para la competencia del arcoíris!

Así, mientras Rodolfo y Evita se dedican a entrenar para la competencia, Lucho y Julito ponen manos a la obra para encontrar un tesoro muy valioso que puedan usar como trofeo.

La búsqueda del trofeo ha comenzado. Con las habilidades para cavar de Julito y el fino olfato de Lucho, no tardan en sacar de debajo de la tierra los más interesantes objetos. Todos podrían ser trofeos especiales y únicos: una bota de color café a la que han nacido unas lindas y pequeñas flores amarillas, una taza dorada, un reloj cuyas manecillas marcan siempre la una, ¡perfecto para el primer lugar!

Cavando, cavando, cavando, van llegando cada vez más abajo: un pie, tres pies, cinco pies de profundidad... Ya no ven el sol.

–Julito, mejor detente ya. Está muy oscuro y no puedo ver. Hemos llegado muy lejos. Ya tenemos muchos objetos y podremos escoger –dice Lucho el perrito.

Julito no escucha. Solo cava y cava muy concentrado. Después de todo, eso es lo que los topos hacen mejor y a Julito le encanta.

De repente en la oscuridad, retumba un estruendoso y aterrador sonido.

¡RUUUUUUUUUUMMMMMMMM!

Una extraña luz roja se enciende. El hoyo empieza a crecer, crecer y crecer. Lucho no entiende lo que pasa. Aúlla del miedo.

–¡AU, AU, AU! ¡DETENTE JULITO, POR FAVOR! ¡PARA LO QUE SEA QUE ESTÉS HACIENDO, Me eSTá dAnDo Mmmucho mMmiedoooOO! ¡AU, AU, AU! –grita Lucho con voz temblorosa.

Lucho no recibe respuesta. Solo se escucha ese estruendoso sonido ¡RUUUUUUUUUUMMMMMM! Hasta que a lo lejos, desde muy, muy profundo, escucha la voz de Julito:

–¡AYÚDAMEEeeeee LUCHOOoooooooo!

Julito había tocado por accidente el botón de encendido de un objeto desconocido. Se detuvo enseguida, pero el hueco sigue haciéndose más y más grande. ¡Como si cien topos estuvieran cavando juntos y muy, muy rápido!

Los dos animalitos están en peligro. Algo muy poderoso los está llevando cada vez más y más profundo y temen no poder salir.
El ruido es ensordecedor y se llega a escuchar en toda la pradera.
Los animales corren a ver qué sucede.

Don Julio, el tío de Julito, inmediatamente se lanza al profundo foso. Baja rápidamente, se dirige hacia la ruidosa e indetenible cosa excavadora. Con sus grandes uñas presiona fuertemente el botón rojo que ilumina el lugar. Se apaga y el ruido se detiene por fin.

–¡La máquina superpoderosa! ¡No es un mito! –exclama Don Julio. Sus pequeñísimos ojos se abren tan grandes que son lo único visible en la oscuridad del inmenso hoyo.

Todos ayudan a sacar a los niños y a Don Julio del gigante hoyo. Desde afuera se puede ver que la pradera ahora ha quedado dividida en dos mitades por ese inmenso hueco. Julito y Lucho lloran asustados y avergonzados. Doña Amanda, la lora más vieja y sabia de la pradera, los abraza. Bajo sus alas se sienten mejor.

Pero... algo más ha pasado. El conejito Rodolfo es el primero en notarlo.

–¡El arcoíris! ¿Se ha ido? ¿Dónde está? –dice Rodolfo alarmado.

–¡Oh no! ¿Qué hemos hecho? –Lucho mira a Julito con tristeza. Se abrazan aún más fuerte a Doña Amanda. Lloran.

—No es su culpa, mis niños. Todo estará bien —responde Doña Amanda muy calmada. Luego endurece su voz:

—Una conversación muy importante debemos tener— dice en tono solemne. Y añade:

—Convoquemos a todo el pueblo esta tarde a una reunión urgente.

Lo que Doña Amanda dice, se hace en la pradera. Pocas veces ella habla con tal seriedad. Ella prefiere estar en casa y preparar pasteles y golosinas para los niños. Tan sabia como es, de seguro algo muy importante tiene que decir.

Los niños llegan temprano a la cita. Están muy tristes. La pradera no es la misma sin el arcoíris. No saben a qué jugarán. La gran competencia del arcoíris es su juego favorito y ya no pueden jugarlo. Ese hoyo, la máquina monstruosa, la pradera dividida en dos mitades, ¡es realmente trágico!

Todos asisten. Están muy preocupados.

Cuando doña Amanda llega se hace un gran silencio. Inmediatamente, ella empieza a hablar:

–Los he convocado porque debemos trabajar juntos para salvar al arcoíris –en el grupo se escucha un rumor creciente.

Se escuchan comentarios alarmados entre los asistentes:
"¡La pradera está en peligro!"

"¡El arcoíris se ha ido!"

"¡Esa máquina superpoderosa!"

Doña Amanda pide calma y silencio.

Continúa hablando:

–Hubo un tiempo en que esta pradera dejó de ser verde y hermosa, como hoy. Fue el tiempo de la máquina superpoderosa. Fueron años difíciles pero también de mucho aprendizaje y trabajo. Es hora de que os cuente esta historia, porque lo que entonces aprendimos, no lo debemos olvidar nunca. En el futuro, serán ustedes quienes transmitirán esta historia a sus hijos y nietos para que la Pradera del Arcoíris siga siendo siempre el lugar feliz que hasta hoy ha sido.

Así, Doña Amanda les hace saber que la historia de la máquina superpoderosa no es un mito. En realidad había sucedido:

"Hace más de 80 años, llegó a la pradera Reginaldo, un ambicioso desmán que venía del frío y árido norte. Los desmanes no son de por aquí, se parecen a los topos pero viven en las frías aguas del norte. Son muy buenos nadadores, pero no muy buenos para cavar. Fue una sorpresa recibir en la pradera a este animal, que suele vivir en el agua. Nadie lo sabía entonces, pero él llegó con la intención de adueñarse de nuestras ricas tierras. Trajo consigo la

Máquina Superpoderosa.

Nos ofreció maravillas que todos creímos: más tiempo libre para descansar, podía recoger los frutos y almacenarlos sin esfuerzo con su máquina, construir mejores y más fuertes madrigueras, hacer diques más fuertes y profundos para que nunca faltara el agua en tiempos de sequía...

Nos ofreció empleo. Entusiasmados aceptamos. Pero pronto dejamos de hacer lo que mejor sabíamos hacer. Todos trabajábamos para él y su máquina superpoderosa.

Reginaldo tomaba todas las decisiones en el pueblo. Cambió las escuelas que enseñaban los diferentes oficios, por cursos para el manejo y mantenimiento de la máquina. Él almacenaba nuestros alimentos y como quienes sabían sembrar dejaron de hacerlo, cada vez había menos. Dependíamos de Reginaldo para comer, para vivir. Perdimos nuestras sonrisas. De tanto mirar al suelo y cavar, dejamos de ver el cielo. Hasta empezamos a pelear unos con otros. La pradera se convirtió en un lugar gris y quienes vivíamos en ella, en seres tristes.

Un día, Neo el osito hormiguero encontró a Dorita la hormiguita, que estaba perdida. Curioso que un oso hormiguero se haga amigo de una hormiguita, pero así sucedió. Inmediatamente se hicieron amigos. Reginaldo había prohibido las hormigas y las echó de la pradera. Todos sus hormigueros fueron destruidos con la máquina. Neo prometió a Dorita llevarla en secreto a la frontera para que pudiera reunirse con su familia. Cuando estaban cerca del borde de la pradera, un arcoíris, cautivado por esa inusual y especial amistad, apareció y les habló de los tiempos anteriores a la máquina superpoderosa, que no conocían, y les pidió ayuda

para salvar a la pradera. Les prometió visitarlos todos los días si podían salvarla y mantenerla hermosa para siempre. Neo y Dorita solo eran niños, pero aceptaron esa gran misión. Ser visitados a diario por ese maravilloso arcoíris, bien valía la pena. El arcoíris les dio una caja de sonrisas. Debían entregar una sonrisa a cada habitante de la pradera. Neo y Dorita cumplieron su cometido.

Cada animal, al recibir su sonrisa, recordó lo que más amaba y mejor sabía hacer. Así, en secreto se unieron y volvieron a sembrar, cocinar, construir, enseñar a los más pequeños... Una noche los más fuertes elefantes y los topos mejores excavadores, en silencio, tomaron la máquina superpoderosa y la enterraron en un lugar donde nadie la pudiera encontrar. Reginaldo perdió su poder sobre la pradera y debió irse.

¡No Reginaldo apágala!

Todos juntos volvimos a hacer de la pradera un lugar verde y feliz, haciendo cada uno lo que mejor sabía y más le gustaba hacer. Desde entonces, las sonrisas no han faltado y el arcoíris nos acompaña todos los días, como les prometió a Neo y a Dorita."

Todos se mantienen en silencio después de que Doña Amanda termina de contar la historia. Ella continúa:
—Esa vez aprendimos el valor de la sonrisa y que todos los animales somos importantes para la pradera.

Luego alza sus alas y con voz fuerte dice:
—¡El arcoíris nos salvó una vez y esta vez debemos salvarlo nosotros!

–¡Siiiiii! ¡Salvemos al arcoíris! ¡Siiiiiii! –gritan todos.

Cuando callan de nuevo, Lucho el perrito pregunta tímidamente:
–Doña Amanda, ¿pero cómo lo salvamos?

Ella responde:
–Muy fácil, ¡sonriendo y, como siempre, haciendo cada quien lo que más le gusta y mejor sabe hacer!

Todos ponen manos a la obra. Los elefantes sacan la enorme máquina del hoyo con sus largas y fuertes trompas. Los canguros, los perros y los conejos empujan y empujan la tierra para tapar el foso. Las abejas y las mariposas traen polen y semillas para sembrar pasto, flores y árboles frutales. Las hormiguitas traen panes y pasteles que Doña Amanda cocina para los trabajadores. Los pelícanos vienen desde la costa; traen agua en sus grandes picos para regar el suelo y para llenar la fuente del parque que construyen los monitos.

–Y... ¿qué haremos con la máquina superpoderosa? – pregunta Don Julio.

Ricardo, el pájaro carpintero de la pradera, responde:
–Yo la desarmaré para que no funcione nunca más.

Miguel Ángel, el pavo real, ofrece:
–Si me aseguráis que no funcionará nunca más, haré con ella una colorida escultura para adornar el lugar.

Los niños, emocionados, se apresuran a organizar la competencia del arcoíris. Hacen trofeos para el primer, segundo y tercer lugar e invitan a toda la pradera.

Llega el gran día. Todo está listo. La pradera se ve aún más linda que antes. Los animales se reúnen en la nueva plaza para la competencia del arcoíris.

Todos miran al cielo. Algo falta... El arcoíris aún no ha venido.
–Todo está listo, pero el arcoíris aún no regresa. ¿Qué podemos hacer? –dice Rodolfo.

Lucho y Julito se miran con complicidad. Saben lo que falta. Empiezan a reír con fuerza y poco a poco la risa se contagia a todos los asistentes.

Con las risas, un rayo de sol cruza el agua de la fuente y se ve un pequeño arco de colores, que crece, crece, crece... y se queda para nunca, nunca más desaparecer.

FIN

Ganadores de la Competencia del Arcoíris

Los trofeos de la competencia, ilustrado por:
Ana Francisca, 7 años, Caracas, Venezuela

El arcoíris de la pradera, ilustrado por:
Emily, 4 años, Dublín, Irlanda

Evita la avestruz, ilustrado por:
Caterina, 12 años, Caracas, Venezuela

El foso, ilustrado por:
Franco, 10 años, Caracas, Venezuela

Animalitos felices en la Pradera del Arcoíris, ilustrado por:
Isabela, 8 años, Caracas, Venezuela

Los animalitos trabajando en la Pradera del Arcoíris, ilustrado por:
Luis, 10 años, Caracas, Venezuela

Neo y Dorita, ilustrado por:
Luisa, 12 años, Caracas, Venezuela

El conejito Rodolfo y Evita la avestruz , ilustrado por:
Mariana, 8 años, Funchal, Portugal

Doña Amanda, ilustrado por:
Maria Carla, 12 años, Caracas, Venezuela

La Pradera del Arcoíris, ilustrado por:
Raquel, 8 años, Caracas, Venezuela

El foso, ilustrado por:
Raúl, 8 años, Buenos Aires, Argentina

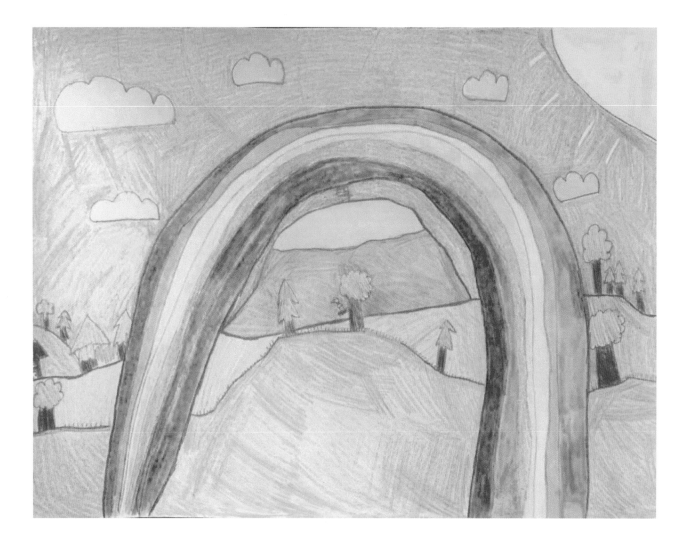

La Pradera del Arcoíris, ilustrado por:
Rodrigo, 9 años, Buenos Aires, Argentina

Doña Amanda, ilustrado por:
Salvador, 10 años, Caracas, Venezuela

Lucho y Julito, ilustrado por:
Samanta, 10 años, Caracas, Venezuela

El foso, ilustrado por:
Samantha, 12 años, Caracas, Venezuela

La máquina superpoderosa, ilustrado por:
Teo, 9 años, Caracas, Venezuela

Doña Amanda, ilustrado por:
Tomás, 12 años, Caracas, Venezuela

Miguel Ángel el Pavo Real y su escultura de la máquina superpoderosa, ilustrado por:
Victoria, 9 años, Carrizal, Venezuela

Reginaldo y la máquina superpoderosa, ilustrado por:
Victoria, 9 años, Carrizal, Venezuela

Menciones especiales

Arcoíris, ilustrado por:
Zoe, 2 años, Llolleo, Chile

Arcoíris, ilustrado por:
Axel Eduardo, 24 años, Caracas, Venezuela

Trofeo, ilustrado por:
Alberto Luis, 3 años, Caracas, Venezuela

La máquina y su botón rojo, ilustrado por:
Ian, 2 años, Ojo de Agua, México

Dibuja aquí tu escena o personaje favorito de
"La pradera y la máquina superpoderosa"

Printed in Great Britain
by Amazon